Adaptation de Lee Howard
Illustrations d'Alcadia Scn
Basé sur l'épisode « A Scooby-Doo Christmas » de John Collier, George Doty IV, Jim Krieg et Ed Scharlach
Texte français de France Gladu

Conception graphique de Henry Ng

Titre original : Scooby-Doo! A Merry Scary Holiday
ISBN : 978-1-4431-2033-3

Édition publiée par les Éditions Scholastic, 604, rue King Ouest, Toronto (Ontario) M5V 1E1.

5 4 3 2 1 Imprimé au Canada 119 12 13 14 15 16

FSC www.fsc.org MIXTE Papier issu de sources responsables FSC® C103113

C'est la veille de Noël. Scooby et ses amis de Mystères inc. se rendent chez l'oncle de Daphné, à Chute-au-Moulin.
Machine à mystères
J'ESPÈRE QUE NOUS ARRIVONS BIENTÔT. IL NEIGE DE PLUS EN PLUS.
Machine à mystères

La Machine à mystères dérape sur le côté de la route glacée. Tous les cadeaux qu'elle contient basculent.

La bande se précipite dehors pour vérifier l'état de la Machine à mystères. Soudain, des hurlements retentissent.

Les amis échappent au bonhomme de neige… et font un atterrissage forcé devant l'auberge du village.
VOUS FERIEZ MIEUX DE QUITTER FROIDE-RIVIÈRE. IL N'Y AURA PAS DE NOËL ICI À CAUSE DE CE MONSTRE DES NEIGES!

N'ÉCOUTEZ PAS LE VIEUX GEORGES. JE SUIS L'AGENTE PERKINS. OÙ VOULIEZ-VOUS ALLER?
NOUS ALLIONS À CHUTE-AU-MOULIN, MAIS IL N'Y A PLUS DE PONT.
ALORS VENEZ DORMIR À MON AUBERGE. IL RESTE UNE CHAMBRE.

CRRRAC!

On entend un bruit assourdissant dans la rue. Les amis courent dehors pour voir ce qui se passe.

LE MONSTRE DES NEIGES A DÉTRUIT MA CHEMINÉE! QUE VA FAIRE LE PÈRE NOËL, MAINTENANT?

Un petit garçon explique qu'il attendait le père Noël à la maison, quand le monstre des neiges a saccagé la cheminée.

IL EST TEMPS D'ATTRAPER CE BONHOMME DE NEIGE. SUIVONS SES TRACES!

La bande ne tarde pas à trouver celui qu'elle cherche.

SAPRISTI!

SAUVEZ-VOUS!

Fred, Daphné, Véra, Sammy et Scooby se cachent dans une vieille remise.
DÉSOLÉ BONHOMME, C'EST OCCUPÉ!
BRRR!
Le bonhomme de neige démollit la remise.

De retour à l'auberge...
HUM... AVEC CE BONHOMME DE NEIGE QUI DÉTRUIT LES CHEMINÉES, L'AUBERGE FAIT DE BONNES AFFAIRES.
VOICI LE PROFESSEUR NELSON. IL A ÉCRIT UN LIVRE SUR LE MONSTRE DES NEIGES. IL POURRA SÛREMENT VOUS AIDER.

LE MONSTRE DES NEIGES EST LE FANTÔME DE BOBBY BLACKJACK. IL Y A LONGTEMPS, BOBBY A VOLÉ L'OR D'ALFRED MINOT.

Véra lit des passages du livre du professeur.

ON DIT ICI QUE BOBBY S'EST SAUVÉ. SELON LA LÉGENDE, IL AURAIT GELÉ À L'INTÉRIEUR D'UN BONHOMME DE NEIGE. ET L'OR VOLÉ N'AURAIT JAMAIS ÉTÉ RETROUVÉ.

Bobby Blackjack

Le groupe retourne dehors pour poursuivre son enquête.
CE BONHOMME DE NEIGE REVIENT CHAQUE NOËL POUR CHERCHER L'OR. IL CIBLE LES PLUS VIEILLES MAISONS DU VILLAGE. JE PARIE QUE LA PROCHAINE SERA CELLE DE GEORGES...
C'EST CE QU'ON VA VOIR!

Scooby et ses amis jettent un coup d'œil dans la maison de Georges. Devinez qui vient souper pour Noël!

JUSTE CIEL!

La bande se cache, puis suit le monstre des neiges dehors.

Fred, Daphné et Véra lui lancent des boules de neige et le pourchassent jusqu'à l'étang gelé…

où Sammy et Scooby l'attendent.

EH, C'EST AMUSANT, ÇA!

ROARRRRRR!!

Mais le rugissement du monstre des neiges crée une profonde fissure dans la glace.

CRRRAC!
NOUS L'AVONS SEMÉ, JE PENSE.
ROH-ROH!
C'EST SAMMY ET SCOOBY! ILS SONT GELÉS COMME DES GLAÇONS!

Daphné et Véra aident Sammy et Scooby à se réchauffer.
BONJOUR MADAME L'AGENTE! QUE FAITES-VOUS DANS LES PARAGES?
JE CHERCHAIS LE MONSTRE DES NEIGES. J'AI TROUVÉ DES EMPREINTES SUSPECTES PRÈS DE LA MAISON DE GEORGES.

Les amis reviennent à l'auberge pour décider de ce qu'ils vont faire.

Fred reprend le livre du professeur et Daphné remarque un détail étrange à propos de son nom...

WILLIAM MINOT NELSON! IL DOIT AVOIR UN LIEN DE PARENTÉ AVEC CET ALFRED MINOT À QUI BOBBY BLACKJACK A VOLÉ SON OR!

SELON LE LIVRE, BOBBY BLACKJACK EST ENTERRÉ AU CIMETIÈRE DU VILLAGE. SAMMY, SCOOBY ET TOI, RESTEZ ICI POUR VOUS RÉCHAUFFER. **VENEZ, LES FILLES!**

Sammy et Scooby sont installés au coin du feu, lorsqu'un vent glacial vient souffler dans la cheminée. Le feu s'éteint et la pièce refroidit.
HO-HO! SCOOBY, LE MONSTRE EST REVENU!

Dans l'obscurité, Sammy et Scooby trébuchent sur des caisses de lumières de Noël.

Les deux amis s'élancent dans l'escalier et atteignent le toit de l'auberge. Vite, ils doivent trouver un moyen de redescendre!

YAHOU!
ACCROCHE-TOI, SCOOBY!
FUYONS!

Fred a un plan pour faire fondre le bonhomme de neige : les lampes chauffantes du village!

Daphné abaisse une manette et toutes les lampes s'allument.

Il y a une étrange machine à l'intérieur du bonhomme de neige.
VOYONS QUI SE CACHE LÀ-DEDANS.

Véra appuie sur un bouton rouge.
La machine s'ouvre et tous découvrent…
PROFESSEUR NELSON!

BOBBY BLACKJACK A PRIS L'OR DE MON ARRIÈRE-GRAND-PÈRE ET L'A CACHÉ DANS UNE CHEMINÉE DE BRIQUES. J'AI CHERCHÉ DANS TOUTES LES CHEMINÉES DU VILLAGE...

Véra ramasse une brique de la cheminée cassée et la frotte pour ôter la suie qui la recouvre. Cette brique est en or pur!

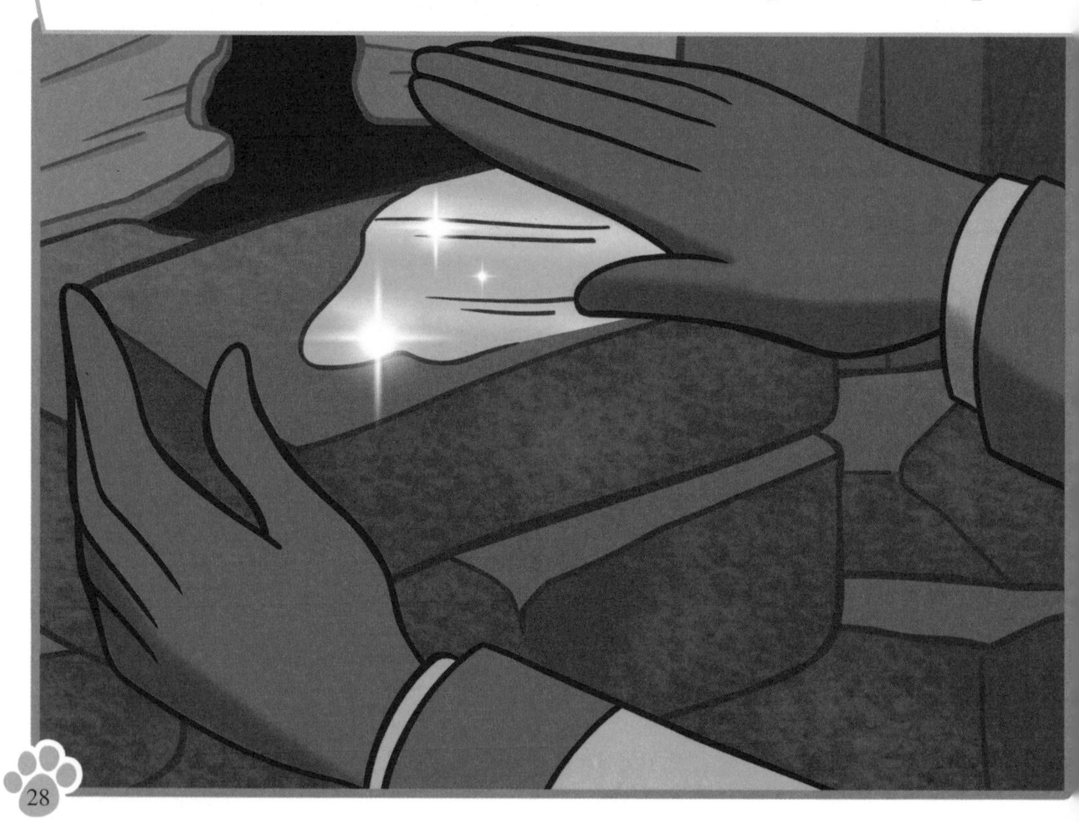

MAINTENANT, JE VAIS DEVOIR FAIRE DE LA PRISON, ET J'AI PERDU L'OR, ENCORE UNE FOIS. JE DÉTESTE NOËL!
PERSONNE NE DEVRAIT DÉTESTER NOËL.

POURRIONS-NOUS LUI PARDONNER? C'EST NOËL!
BRRR...

APRÈS TOUT CE
QUE J'AI FAIT, TU
M'OFFRES UN CADEAU?
COMME C'ÉTAIT 
L'OR DE VOTRE
ARRIÈRE-GRAND-PÈRE,
J'ESTIME QU'IL VOUS
APPARTIENT.
J'AI UN CADEAU, MOI
AUSSI. CET OR APPARTIENT
À TOUT LE VILLAGE.
VOUS EN AUREZ TOUS!

C'EST UN TRÈS JOYEUX NOËL, FINALEMENT!
ROUAIS!